THE INTERNATIONAL
Handbook of Jockstraps

By "X"

Other books by "X"

THE INTERNATIONAL
Handbook
Of
Jockstraps

By "X"

The Basic Jock

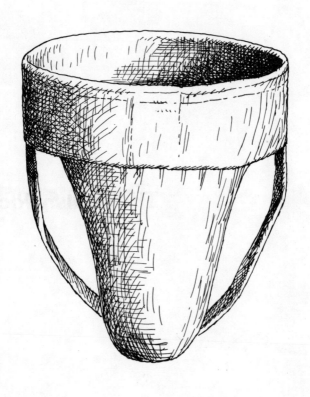

The Jewish Jock

The General Custer Jock

The Frankenstein Jock

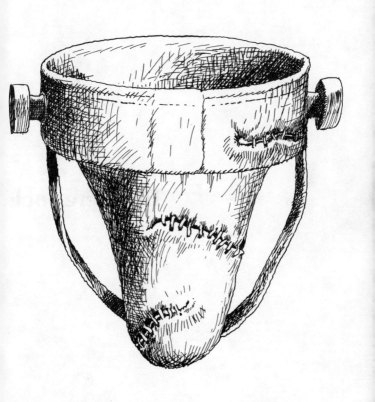

The Frere Jock

The George Blanda Jock

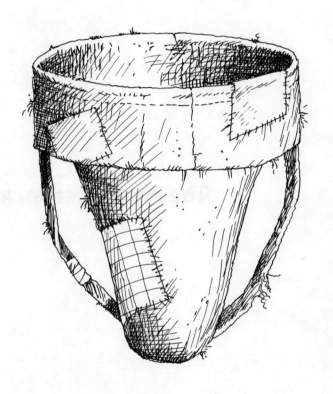

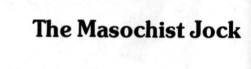

The Masochist Jock

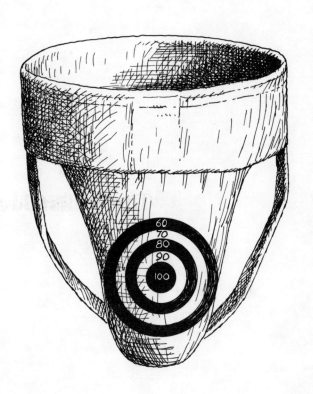

The Sadist Jock

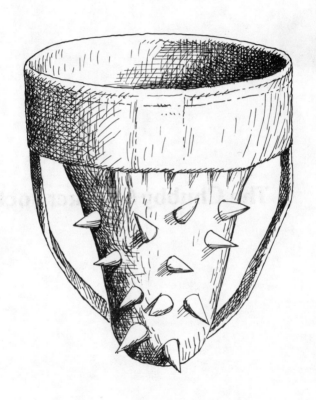

The Chubby Checker Jock

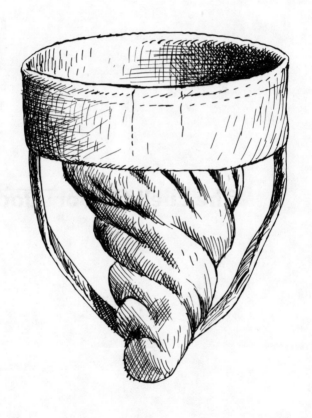

The Euell Gibbons Jock

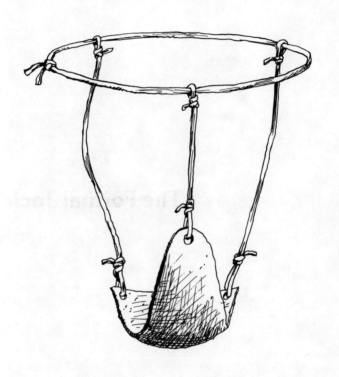

The Formal Jock

The Disc Jockey

The High Jock

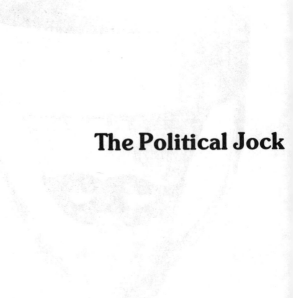

The Political Jock

The Jock Cousteau

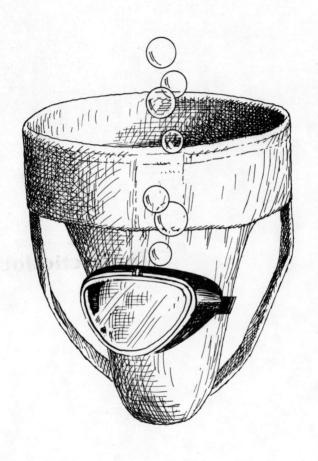

The Arctic Jock

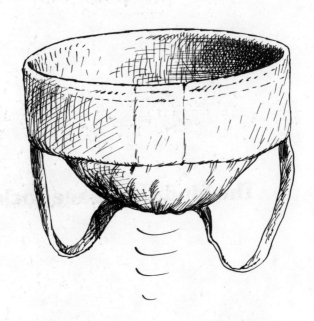

The Linda Lovelace Jock

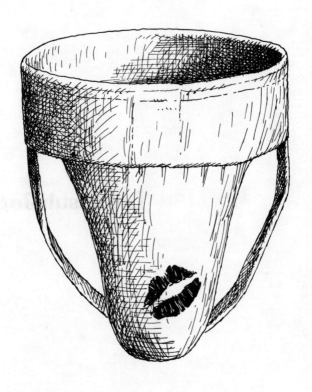

The Jesuit Jock

The Jock Rabbit

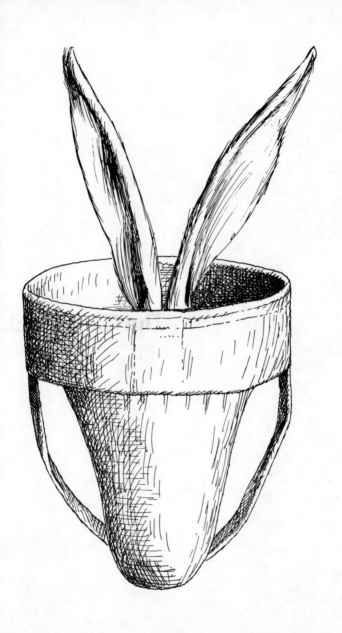

The C.I.A. Jock

The Frightened Jock

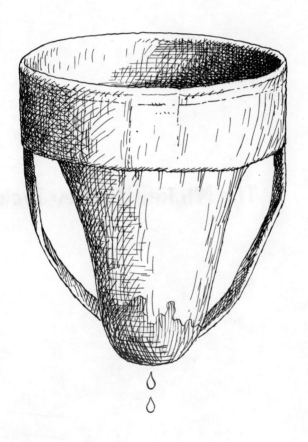

The Mickey Rooney Jock

The Henry Kissinger Jock

The Union Jock

The Schizophrenic Jock

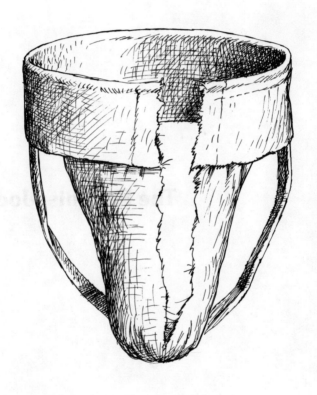

The Feminist Jock

The Jocular Jock

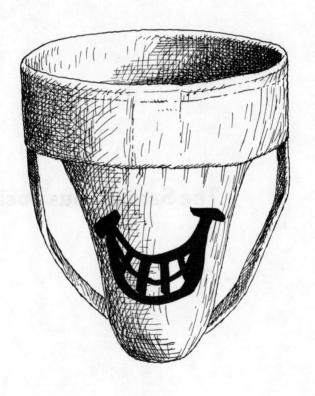

The Santa Claus Jock

The Gucci Jock

The Prepared Jock

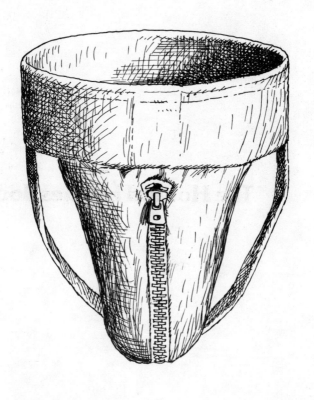

The Howard Hughes Jock

The Militant Jock

The David Jock

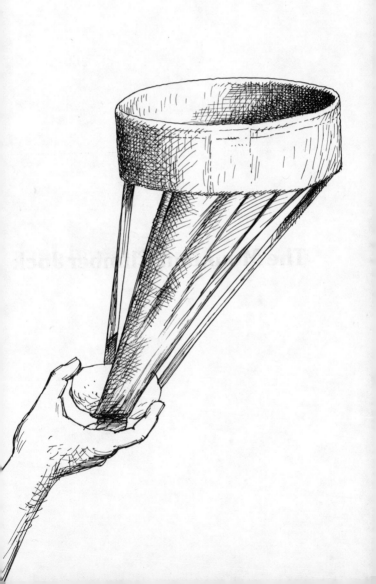

The Mountain Climber Jock

The Jocky Gleason

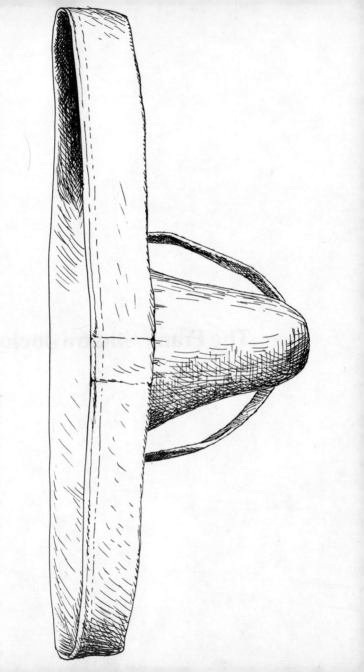

The Frank Sinatra Jock

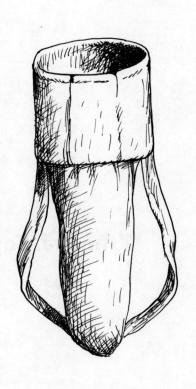

The A.J. Foyt Jock

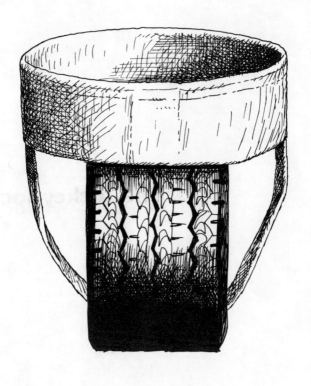

The Jockey Jock

The Flasher Jock

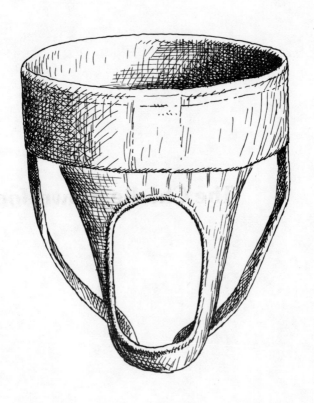

The Charlie Brown Jock

The Moshe Dayan Jock

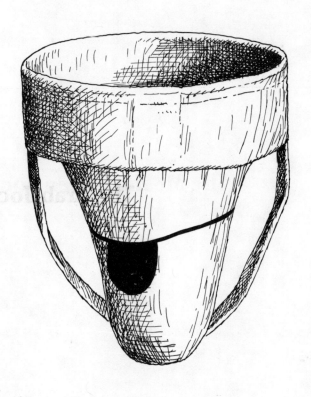

The Arab Jock

The I.R.S. Jock

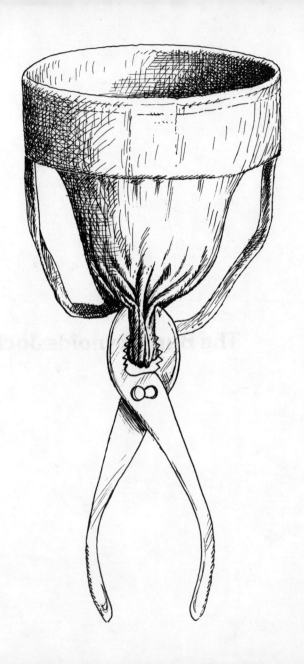

The Burt Reynolds Jock

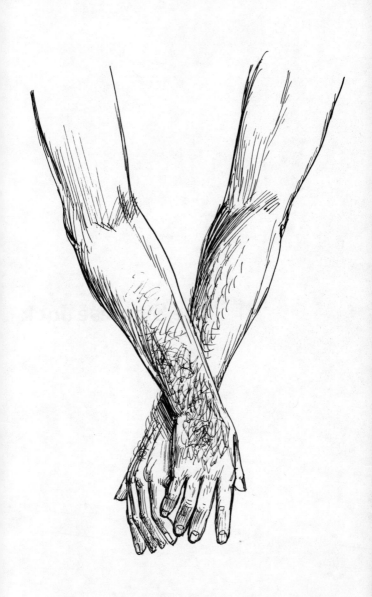

The Siamese Jock

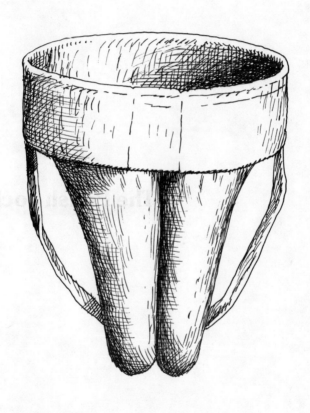

The Polish Jock

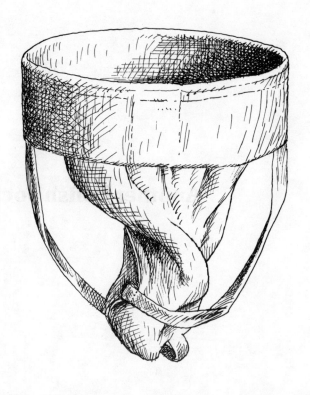

Another Polish Jock

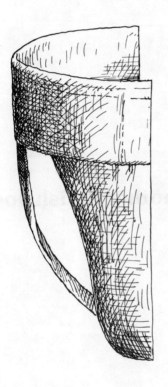

Yet Another Polish Jock

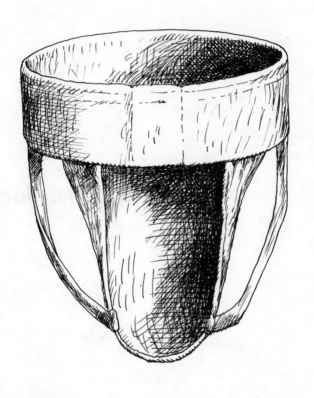

The Martian Jock

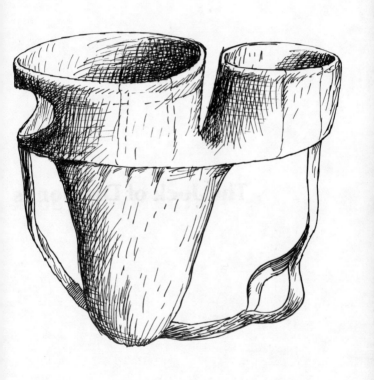

The Jock of Diamonds

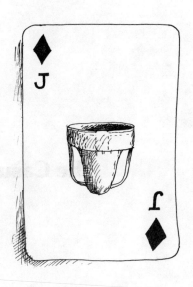

The Casual Jock

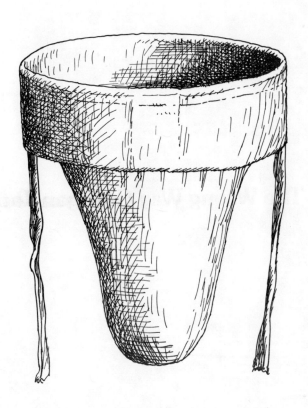

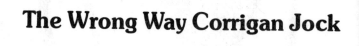

The Wrong Way Corrigan Jock

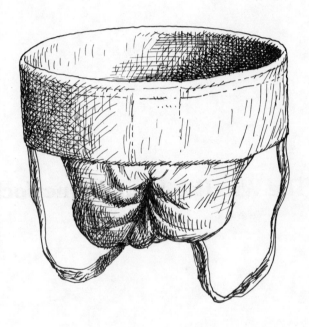

The John Wayne Jock

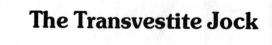

The Transvestite Jock

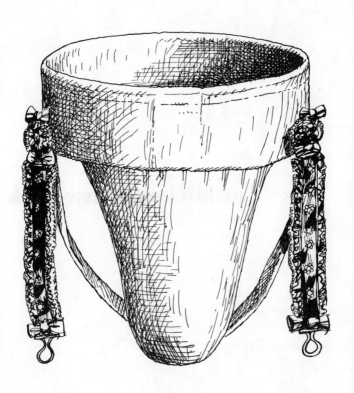

The Mickey Mouse Jock

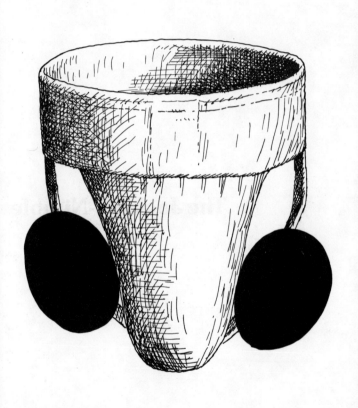

The Jock-Be-Nimble

The Prehistoric Jock

The Author's Jock

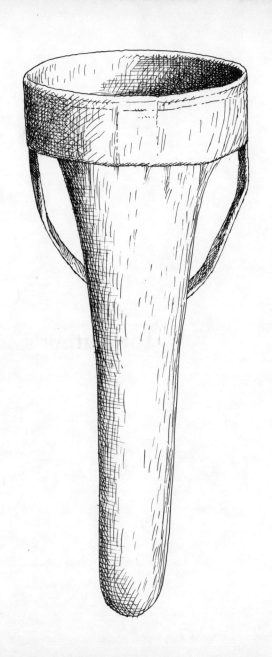